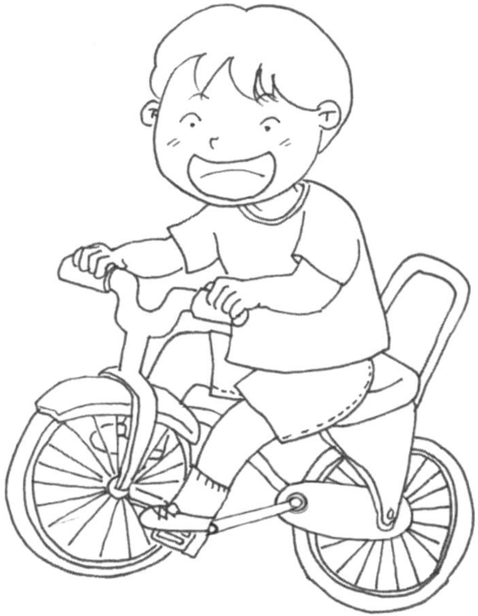

형은 자전거를 타요.

누나는 그네를 타요.

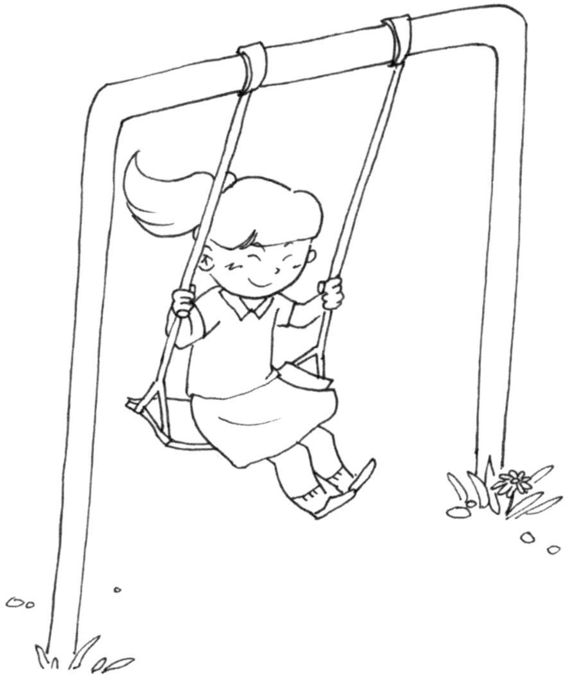

나는 친구와 시소를 타요.

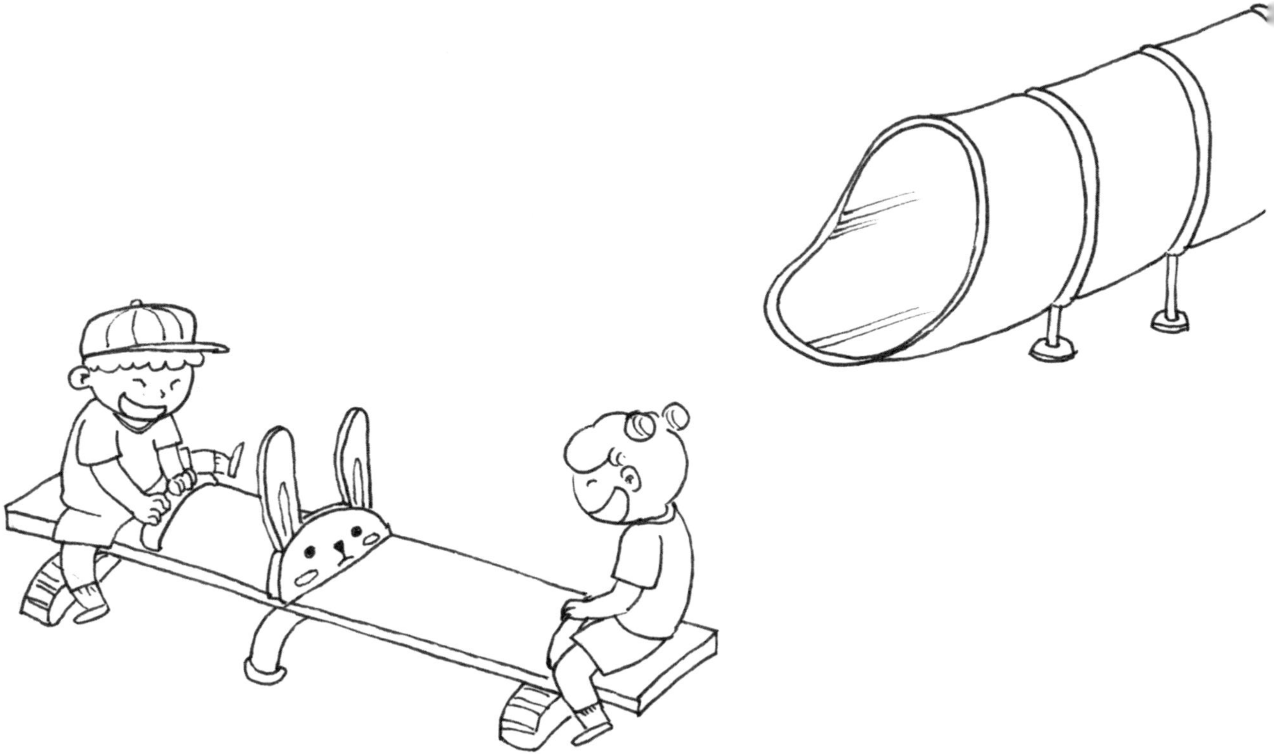

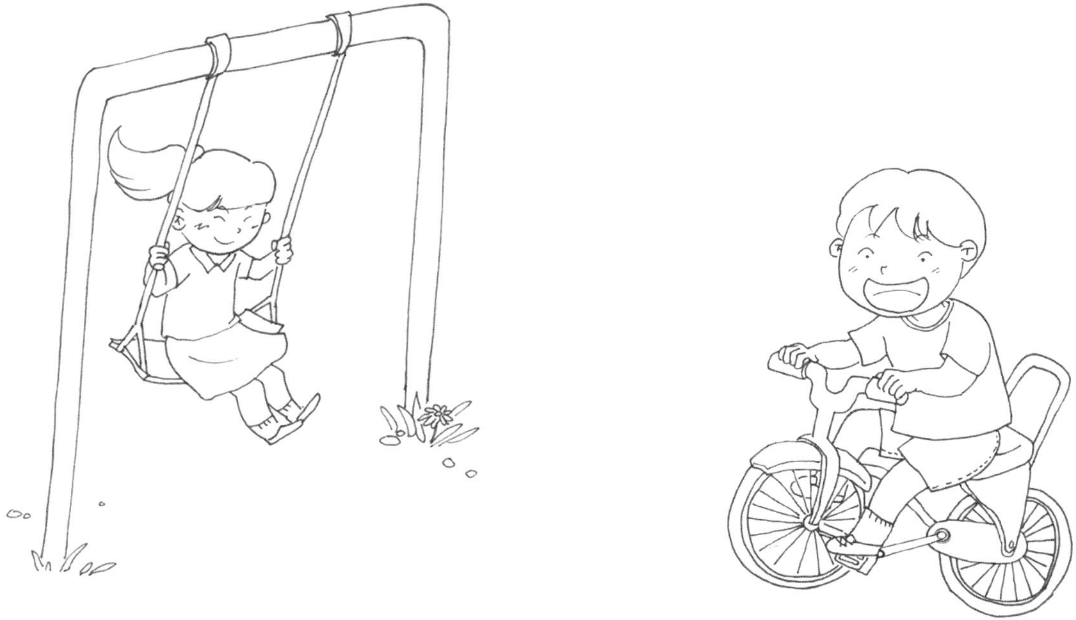

나는 모자를 쓰고 있어요.

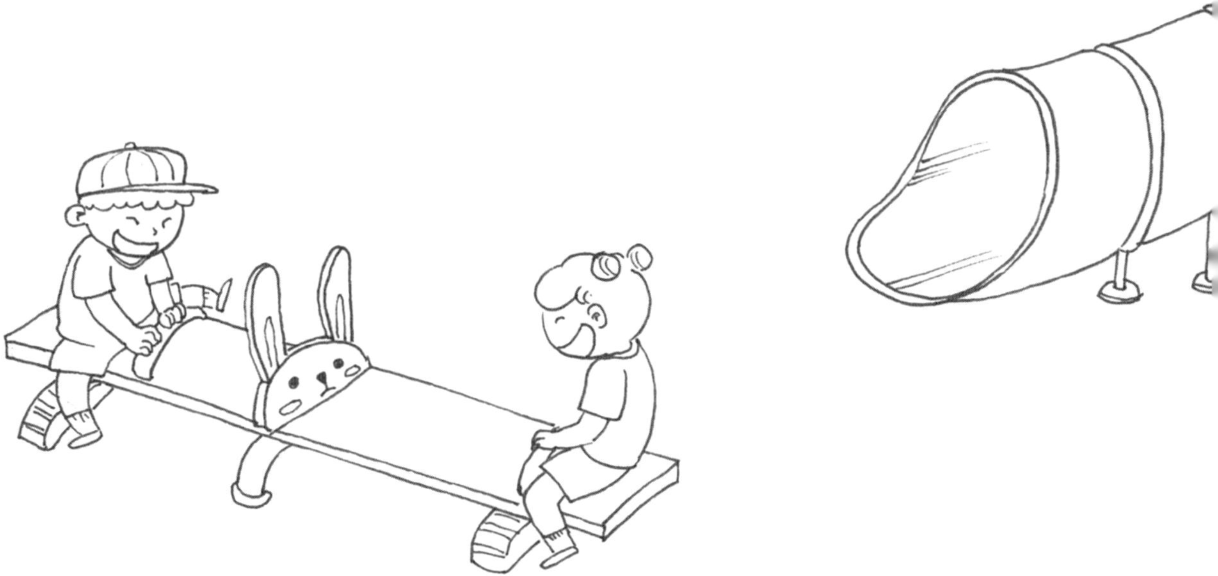

나를 찾아보세요.

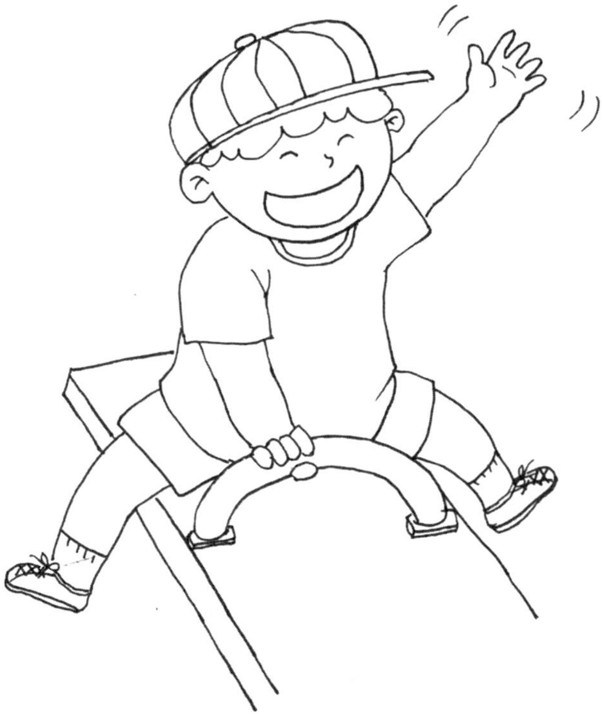